A Shorter Course in English for Business Meetings

Discussion

5 分間 会議英語＜ディスカッション力の育成＞

Kazushige Tsuji
Hiroaki Miyake
G. Clint Denison
Setsu Tsuji

NAN'UN-DO

A Shorter Course in English for Business Meetings
< Discussion>

はじめに

世界はWith/Postコロナの時代に突入し、社会・経済活動は新しい局面を迎えています。まさに、将来の予測が困難な状況、すなわちVUCA*時代において、われわれを取り巻く環境は大きく変化しています。そのような状況の中、世界のボーダレス化も着実に進んでおり、企業やNGO・NPOなどの団体が開催する対外会議・社内会議における「会議英語力」はますます必要となっています。

本テキストは、会議で不可欠な「英語ディスカッション力」を身につけることを目的としています。様々なビジネスを念頭にディスカッションで求められる英文（内容、語彙）を効果的に習得できるよう通訳訓練を取り入れるなどの工夫がされています。また、各種業界の会議で使用される「専門用語」を含む文例とその解説を通して、ビジネスに関する知識を深めることができます。

国際理解と国際協力を促進する大切さが問われる現在、『会議英語＜ディスカッション力の養成＞』で身につけたディスカッション力を、みなさんが国際的な活動の場で活かされることを願ってやみません。

最後に、このような貴重な機会をあたえてくださった南雲堂編集部の加藤敦様に厚くお礼申し上げます。

著者一同

---

* Volatility（変動性）、Uncertainty（不確実性）、Complexity（複雑性）、Ambiguity（曖昧性）の頭文字を並べたもの。

本テキストの目的、特長と学習方法

目的

世界のボーダレス化が進む中、企業やNGO・NPOなどの団体が開催する対外会議・社内会議における英語ディスカッションを効果的に行うために必要な英語力と知識を身につけます。

特長

1. 本テキストは、会議での英語ディスカッション力を効果的に身につけるために以下の工夫をしています。

(1) 20 Unitsで構成され、実際のディスカッションで使われる内容・語彙をカバー
(2) 15単語以内で構成される実用的な10英文を各Unitで紹介
(3) ビジネス会議で使用される「専門用語」を各Unitで5つ解説
(4) 英単語の「穴埋め問題」と「整序問題」を各Unitに準備
(5) プロの通訳者養成で使われている訓練方法（リテンション、逐次通訳）を採用

2. 本テキストは、通訳の授業・研修にも有用です。

学習方法（声に出す訓練）：以下の訓練を通して、表現力・瞬発力を養います。

1. リテンション（英語→英語）

学習者は英文を聞いて、その英文を限られた時間内に復唱します。要領はリピーティングとほぼ同じです。リテンションの場合、聞いた英文を復唱する際に「言い切る」ことを守り、そのため必要に応じて原文に含まれない英語の単語や表現を使っても結構です。原文のメッセージを与えられた時間内に自分の言葉で伝たえることを優先にこの訓練に臨んでください。なお、ここではRetention（保持）とReproduction（復唱）を併せて「リテンション」と呼んでいます。

2. 逐次通訳（日本語→英語）

聞こえてくる日本文を限られた時間内に英文にして発話します。リテンションで学習した英文の定着を目的としますが、思い出せない語彙がある場合は、他の英語の単語・表現を使っても結構です。原文（日本語）のメッセージを与えられた時間内に自分の言葉（英語）で伝えることを優先して、この訓練に臨んでください。

日本文：対外会議と社内会議を対象に、原則として「発言者」を指す言葉を使い分けています。
・ 対外会議の場合：弊社、私ども、われわれ（相手側を含める場合）
・ 社内会議の場合：当社、わが社、われわれ

目次

Unit 1 審議案件を提示する

ビジネス会議が開かれています。使用言語は英語です。「審議事項」が提示され、ディスカッションが始まりました。このユニットは「審議案件を提示する」です。

1. 日本語を参考にして、下記の単語リストよりもっとも適切な単語を選び、その記号を（　）に記入しなさい。

(1) われわれの事業計画*の問題について話し合いを持ちます。
We will have a (① 　　) on problems (② 　　) to our business plan.

(2) この会議の目的は、わが社の新プロジェクトの進捗に関して意見を交換することです。
The purpose of this meeting is to (③ 　　) views on the (④ 　　) of our new project.

(3) 本日は、弊社の最新モデルについてご意見をお聞きするために参りました。
We are here today to hear your opinions (⑤ 　　) our (⑥ 　　) model.

(4) 弊社は、商品の安全に関する試験結果が間違いないことを証明するつもりです。
We intend to (⑦ 　　) test results with (⑧ 　　) to the safety of our product.

(5) 弊社の案は、その製品について競争優位*の観点から話し合いを持つことです。
Our plan is to (⑨ 　　) the product from a competitive advantage (⑩ 　　).

a. perspective	b. exchange	c. verify	d. regard	e. relative
f. discuss	g. progress	h. concerning	i. discussion	j. latest

Notes

・事業計画 (business plan)
事業の達成目的、目標、達成する計画・過程を示したもの。
・競争優位 (competitive advantage / superiority)
組織が競合他社をしのぐことを可能にする属性のこと。

2. Exercise

Disc 1 2-3

2-1 上記の５つの英文が順番に聞こえてきます。各英文を聞いた後、すぐにリテンションしなさい。

2-2 上記の５つの日本文が順番に聞こえてきます。各日本文を聞いた後、すぐに英文にしなさい。

3. 日本語を参考にして、与えられた英単語を並び替えて、英文を完成させなさい。

(1) この会議は、懸案事項の解決策を見出すために開催されます。
[issues / held / to / solutions / pending / to find]
This meeting will be ______________________________.

(2) 本会議は、緊急の問題を共同で解決することを目的としております。
[problems / our / aims to / urgent / jointly resolve]
This conference ______________________________.

(3) わが社は、再建計画* 提案を完成させる計画です。
[for / to finalize / restructuring / a proposal / our corporation / are planning]
We ______________________________.

(4) 本日の議題は、海外事業の合理化* に関するものです。
[streamlining / overseas operations / the / is / of / regarding]
Today's agenda ______________________________.

(5) 弊社の願いは、両社がSDGs* の尽力について意見の一致をみることです。
[on / a consensus / reach / SDG efforts / will / both companies]
It is our hope that ______________________________.

Notes

・再建計画 (restructuring/revival/reconstruction plan)
苦境に陥った組織を立て直すための方法、手順を示したもの。
・合理化 (streamlining, rationalization)
無駄を省き、能率的に目的が達成できるようにすること。
・SDGs (sustainable development goals)
「持続可能な開発目標」のこと。2015 年 9 月の国連サミットで採択され、2030 年までに持続可能な世界を目指すための国際目標を指す。

4. Exercise

4-5

4-1 上記の５つの英文が順番に聞こえてきます。各英文を聞いた後、すぐにリテンションしなさい。

4-2 上記の５つの日本文が順番に聞こえてきます。各日本文を聞いた後、すぐに英文にしなさい。

Unit 2

意見を述べる

ビジネス会議が開かれています。使用言語は英語です。「審議事項」が提示され、ディスカッションが始まりました。このユニットは「意見を述べる」です。

1. 日本語を参考にして、下記の単語リストよりもっとも適切な単語を選び、その記号を（　）に記入しなさい。

(1) このコスト問題を解決するには、ただちに行動を取るべきだと弊社は考えております。
We think that action should be (①　　) immediately to (②　　) this cost problem.

(2) 企業間の誤解をどのように避けるかについて考慮することは、われわれにとって不可欠です。
It is vital for us to consider how to (③　　) a (④　　) between the corporations.

(3) 弊社は、市場浸透戦略*の調査が必要だと考えています。
We presume there is a need to (⑤　　) research on market (⑥　　) strategies.

(4) われわれの考えは、御社と合弁事業*を立ち上げることです。
Our idea is to (⑦　　) a (⑧　　) venture with your company.

(5) われわれの見解では、品質確保のための是正措置がとられるべきだということです。
In our view, a (⑨　　) measure should be taken to (⑩　　) quality.

a. penetration	b. corrective	c. establish	d. joint	e. settle
f. ensure	g. avoid	h. conduct	i. taken	j. misunderstanding

Notes

・市場浸透戦略 (market penetration strategy)
既存の商品・サービスを、既存の市場（顧客）に今以上に買ってもらうための戦略を指す。
・合弁事業 (joint venture)
複数の異なる組織が共同で事業を興すこと、およびその事業のこと。

2. Exercise

6-7

2-1 上記の5つの英文が順番に聞こえてきます。各英文を聞いた後、すぐにリテンションしなさい。

2-2 上記の5つの日本文が順番に聞こえてきます。各日本文を聞いた後、すぐに英文にしなさい。

3. 日本語を参考にして、与えられた英単語を並び替えて、英文を完成させなさい。

(1) わが社は、販売促進を加速する必要があると考えがちです。
[accelerate / our / to / we / promotion / sales / need]
We tend to think that ______________________________.

(2) 売り上げの観点から、本プロジェクトは営業利益* についてさらに検討する必要があります。
[operating profit / further / requires / study / on]
From a sales perspective, this project ______________________________.

(3) われわれの成長にとって、人材が重要であることを強調させていただきます。
[for / of / the importance / our growth / highlight / human resources]
We wish to ______________________________.

(4) 当社の考えは、グローバル・ソーシング* の長所と短所を調査しなければならないということです。
[have / the pros and cons / to be / global sourcing / of / investigated]
It is our belief that ______________________________.

(5) 当社は、率先してこれらの製品をカーボンニュートラル* にする計画を立てるべきです。
[a plan / in developing / to make / the lead / these products]
We should take ______________________________
carbon neutral.

Notes

・営業利益 (operating profit)
売上総利益（売上高から売上原価を引いたもの）から、販売費および一般管理費を差し引いた利益のこと。
・グローバル・ソーシング (global sourcing)
世界中から最適な企業を選択して調達すること。「世界最適調達」ともいう。
・カーボンニュートラル (carbon neutrality)
二酸化炭素（CO_2）の排出量と吸収量とがプラスマイナスゼロの状態になること。
形容詞は carbon neutral である。

4. Exercise

8-9

4-1 上記の５つの英文が順番に聞こえてきます。各英文を聞いた後、すぐにリテンションしなさい。

4-2 上記の５つの日本文が順番に聞こえてきます。各日本文を聞いた後、すぐに英文にしなさい。

Unit 3

意見を求める

ビジネス会議が開かれています。使用言語は英語です。「審議事項」が提示され、ディスカッションが始まりました。このユニットは「意見を求める」です。

1. 日本語を参考にして、下記の単語リストよりもっとも適切な単語を選び、その記号を（　）に記入しなさい。

(1) 工場における弊社の改善* 活動について、どのようにお考えでしょうか。
What do you think about our (①) improvement activities at the (②)?

(2) 生産の最適化について、御社の見解はいかがでしょうか。
What are your views on (③) of (④)?

(3) 景気の現状について、どのようにお考えでしょうか。
What do you think about the (⑤) (⑥) of business conditions?

(4) その組み立てラインの生産性* について、どのようにお感じでしょうか。
How do you feel about the (⑦) of the (⑧) line?

(5) このモデルの耐久性について、どのようなお立場ですか。
Where do you (⑨) on the (⑩) of this model?

a. current	b. production	c. status	d. optimization	e. stand
f. continuous	g. durability	h. productivity	i. plant	j. assembly

Notes

- 改善 (continuous improvement, kaizen)
  工場の生産現場の作業効率や安全性の確保を見直す活動のこと。海外でもそのまま "kaizen" と呼ばれ、日本語で「カイゼン」とも表記される。
- 生産性 (productivity)
  投入した経営資源（ヒト・モノ・カネなど）に対して得られた産出量の比率のこと。

2. Exercise

10-11

2-1 上記の５つの英文が順番に聞こえてきます。各英文を聞いた後、すぐにリテンションしなさい。

2-2 上記の５つの日本文が順番に聞こえてきます。各日本文を聞いた後、すぐに英文にしなさい。

3. 日本語を参考にして、与えられた英単語を並び替えて、英文を完成させなさい。

(1) 気候変動* についての考えをお聞かせください。
[climate change / on / hear / to / your thoughts]
We would like ______________________.

(2) 環境会計* について、御社の考えをお聞かせくださいますか。
[us / environmental accounting / your ideas / know / on / let]
Could you please ______________________?

(3) 高齢化社会* がビジネスに与える影響について、コメントをお願いします。
[on / to / of / the implications / an aging society / comment]
Would you like ______________________
for business?

(4) その新製品の変更に関する提案をぜひお聞かせください。
[are / to / changes / open / any suggestions / for]
We ______________________ to the new product.

(5) われわれの協働について、何か提案はお持ちでしょうか。
[any proposal / our collaboration / have / for / you / might]
Is there ______________________?

Notes

- 気候変動 (climate change)
  地球の大気の組成を変化させる人間活動に直接または間接的に起因する気候の変化のこと。
- 環境会計 (environmental accounting)
  組織が環境保全の活動を効果的・効率的に推進するため、環境負荷や環境保全の費用と効果を把握する手法のこと。
- 高齢化社会 (aging society)
  65 歳以上の高齢者の割合が人口の 7%を超えた社会のこと。

4. Exercise

12-13

4-1 上記の５つの英文が順番に聞こえてきます。各英文を聞いた後、すぐにリテンションしなさい。

4-2 上記の５つの日本文が順番に聞こえてきます。各日本文を聞いた後、すぐに英文にしなさい。

Unit 4

賛成する・納得する

ビジネス会議が開かれています。使用言語は英語です。「審議事項」が提示され、ディスカッションが始まりました。このユニットは「賛成する・納得する」です。

1. 日本語を参考にして、下記の単語リストよりもっとも適切な単語を選び、その記号を（　）に記入しなさい。

(1) 弊社は、この点について完全に同意いたします。
We completely agree (①　　) you (②　　) this point.

(2) われわれは、海外生産の計画に同意いたします。
We agree (③　　) the plan (④　　) off-shore production.

(3) 私どもは、自由貿易* を推進する御社の要請に基づいて行動することに同意いたします。
We agree to (⑤　　) on your request for (⑥　　) free trade.

(4) わが社は、これらの新興国* の景気回復についての見通しに同意しております。
We agree on the (⑦　　) for economic (⑧　　) in these emerging countries.

(5) 環境にやさしい製品に対する需要の高まりに応えるべきであることに同意いたします。
We agree that we should (⑨　　) the growing demand for environmentally (⑩　　) products.

a. to	b. with	c. on	d. for	e. friendly
f. meet	g. promoting	h. outlook	i. act	j. recovery

Notes

・自由貿易 (free trade)
関税など国家の介入や干渉を排して自由に行う貿易のこと。
・新興国 (emerging countries)
現在の経済水準はまだ低いものの、高い成長性を秘めた国々のこと。

2. Exercise

14-15

2-1 上記の５つの英文が順番に聞こえてきます。各英文を聞いた後、すぐにリテンションしなさい。

2-2 上記の５つの日本文が順番に聞こえてきます。各日本文を聞いた後、すぐに英文にしなさい。

3. 日本語を参考にして、与えられた英単語を並び替えて、英文を完成させなさい。

(1) このプロジェクトへの投資に関して、私どもはこの点で御社に同意いたします。
[this respect / you / investment / with regard to / with / in]
We are ______________________________ in this project.

(2) 弊社は、冷え込んだ個人消費*への御社の取り組みに賛成いたします。
[weak / favor / tackling / your approach to / in / of]
We are ______________________________ consumer spending.

(3) わが社が株式を公開*すべきであるということに関して、疑いの余地はありません。
[should / in my mind / doubt / the corporation / that / no]
There is ______________________________ go public.

(4) 当社は、政府のコロナ後の経済見通しについて全く賛成いたします。
[agreeable / outlook / the government's / to / economic / for]
We are quite ______________________________
the post-corona era.

(5) 日本の経済成長*は、今後数年にわたって減速するというお考えはごもっともです。
[that / right / over / decelerate / will / Japan's economic growth]
You are completely ______________________________
the next few years.

Notes

- 個人消費 (consumer spending)
  個人（家計）が物やサービスの購入に充てた金額の総計のこと。
- （株式を）公開する (go public)
  株式会社が自社の発行する株式を自由に譲渡できるようにすること。
- 経済成長 (economic growth)
  一国の経済規模が増大・拡張していくこと。計測には一般に国内総生産 (gross domestic product: GDP) が用いられる。

4. Exercise

16-17

4-1 上記の５つの英文が順番に聞こえてきます。各英文を聞いた後、すぐにリテンションしなさい。

4-2 上記の５つの日本文が順番に聞こえてきます。各日本文を聞いた後、すぐに英文にしなさい。

Unit 5 承認する・承諾する

ビジネス会議が開かれています。使用言語は英語です。「審議事項」が提示され、ディスカッションが始まりました。このユニットは「承認する・承諾する」です。

1. 日本語を参考にして、下記の単語リストよりもっとも適切な単語を選び、その記号を（ ）に記入しなさい。

(1) 経営陣は中期経営計画を承認しました。
The top management has given its (①) to the (②) business plan.

(2) 弊社の幹部は、御社との業務提携* を行う計画を了承いたしました。
Our executives have (③) of the plan for (④) into a business tie-up with you.

(3) わが社の相手方も、これらの懸案事項を解決することが重要だと認めています。
Our counterparts also (⑤) the importance of (⑥) these pending issues.

(4) 弊社の幹部から同意を得た上で、御社の提案を進めることができます。
We can go (⑦) with your proposal after getting (⑧) from our executives.

(5) 私どもは、東南アジア諸国連合* でのビジネスの足場を固めるという合意に至りました。
We have (⑨) consensus on consolidating a (⑩) for business in ASEAN.

a. approval	b. reached	c. consent	d. settling	e. acknowledge
f. approved	g. mid-term	h. ahead	i. entering	j. foothold

Notes

・業務提携 (business tie-up/partnership)
企業が資本の移動を伴わずに共同で事業を行うこと。お互いの技術や人材等の経営資源の活用による相乗効果（synergy）によって事業競争力の強化することを目的とする。

・東南アジア諸国連合 (Association of South East Asian Nations: ASEAN)
1967 年の設立以来、域内の経済成長、社会・文化の発展に尽力。ブルネイ、カンボジア、インドネシア、ラオス、マレーシア、ミャンマー、フィリピン、シンガポール、タイ、ベトナムの 10 カ国が加盟 (2022 年時点)。

2. Exercise

18-19

2-1 上記の５つの英文が順番に聞こえてきます。各英文を聞いた後、すぐにリテンションしなさい。

2-2 上記の５つの日本文が順番に聞こえてきます。各日本文を聞いた後、すぐに英文にしなさい。

3. 日本語を参考にして、与えられた英単語を並び替えて、英文を完成させなさい。

(1) アウトソーシング* のご提案は、実行可能であると弊社は認めております。
[your proposal / viable / for / is / outsourcing]
We admit that ______________________________.

(2) 貴社の取引条件は公平であり、私どもが納得できるものです。
[and / fair / are / terms and conditions / acceptable]
Your ______________________________ to us.

(3) この企業は OEM* の提案に同意しました。
[the OEM proposal / to / its consent / given / has]
This company ______________________________.

(4) 当社は、その子会社にわれわれの設備を限定的に使用させることができます。
[grant / use / to / limited access / the subsidiary / our test facilities]
We can ______________________________.

(5) 弊社は、その企業が東京証券取引所* に上場する準備が整っていることを認めております。
[be / the company / on / to / is / listed / ready]
We acknowledge that ______________________________
the Tokyo Stock Exchange.

Notes

- アウトソーシング (outsourcing)
  専門性の高い別の企業に委託して、労働サービスとして購入する契約のこと。「外部委託」ともいう。
- OEM (original equipment manufacturer)
  他社ブランドの製品を製造すること、またはその企業のこと。
- 東京証券取引所 (Tokyo Stock Exchange)
  日本最大の金融商品取引所である。ニューヨーク証券取引所・ロンドン証券取引所と共に「世界三大市場」と呼ばれ、日本経済だけでなく世界経済の中枢である。「東証」ともいう。

4. Exercise

20-21

4-1 上記の５つの英文が順番に聞こえてきます。各英文を聞いた後、すぐにリテンションしなさい。

4-2 上記の５つの日本文が順番に聞こえてきます。各日本文を聞いた後、すぐに英文にしなさい。

Unit 6 反対する・異議を唱える

ビジネス会議が開かれています。使用言語は英語です。「審議事項」が提示され、ディスカッションが始まりました。このユニットは「反対する・異議を唱える」です。

1. 日本語を参考にして、下記の単語リストよりもっとも適切な単語を選び、その記号を（　）に記入しなさい。

(1) 残念ながら、弊社はその点では賛成しかねます。
(①), we can't agree (②) you there.

(2) 残念ですが、当社はこの件については反対です。
We are (③) that we (④) with you on this matter.

(3) 増資*することに、われわれは反対しなければなりません。
We would have to disagree (⑤) (⑥) the capital.

(4) わが社は、デジタライゼーション*の取り組みについて意見が分かれています。
We are (⑦) disagreement regarding digitalization (⑧).

(5) 新製品の仕様に関して、われわれの間に意見の相違があります。
There is disagreement between us (⑨) the (⑩) of the new products.

a. with	b. about	c. initiatives	d. disagree	e. increasing
f. in	g. afraid	h. specifications	i. unfortunately	j. concerning

Notes

・増資 (capital increase)
企業が資本金を増加させること。一般的に、新株発行によって投資家から資金を集める。
・デジタライゼーション (digitalization)
デジタル技術を活用することで既存のビジネスモデルを変革し、新たな事業価値や顧客体験を生み出すこと。一方、「デジタイゼーション (digitization)」は、単なるデジタル化を指す。

2. Exercise

22-23

2-1 上記の5つの英文が順番に聞こえてきます。各英文を聞いた後、すぐにリテンションしなさい。

2-2 上記の5つの日本文が順番に聞こえてきます。各日本文を聞いた後、すぐに英文にしなさい。

3. 日本語を参考にして、与えられた英単語を並び替えて、英文を完成させなさい。

(1) 弊社は、このLBO* に対して異なった見方をしております。
[a / this LBO / light / in / sees / different]
Our company ________________________________.

(2) 弊社は、提示されたデータについて異なった解釈をしております。
[presented / of / a differing interpretation / to / the data]
We have ________________________________ us.

(3) 私どもは、ODM* に関する調査結果について御社と少し異なった解釈をしております。
[slightly differently / the findings / the ODM / interpreted / on]
We have ________________________________ from you.

(4) わが社は、子会社から提案された計画を謹んでお断りいたします。
[to / respectfully / proposed / the scheme / opposed]
We are ________________________________ by the subsidiary.

(5) ベンチマーク* レポートについて、私どもは見解の相違があるものと思われます。
[disagreement / to / there could be / the benchmarking report / pertaining]
We presume ________________________________.

Notes

・LBO (leveraged buyout)
合併・買収（mergers and acquisitions: M & A）において、買い手が買収対象企業の資産や将来のキャッシュフローを担保に買収資金の一部を調達して買収を行う手法のこと。
・ODM (original design manufacturing)
他社ブランドによる製品を設計・製造すること。
・ベンチマーク (benchmarking)
競合他社の優れた点を分析し自社に取り入れることで、事業や経営戦略を革新していく手法のこと。

4. Exercise

24-25

4-1 上記の５つの英文が順番に聞こえてきます。各英文を聞いた後、すぐにリテンションしなさい。

4-2 上記の５つの日本文が順番に聞こえてきます。各日本文を聞いた後、すぐに英文にしなさい。

Unit 7

承認しない・承諾しない

ビジネス会議が開かれています。使用言語は英語です。「審議事項」が提示され、ディスカッションが始まりました。このユニットは「承認しない・承諾しない」です。

1. 日本語を参考にして、下記の単語リストよりもっとも適切な単語を選び、その記号を（　）に記入しなさい。

(1) この計画は、わが社のビジネスパートナーから反対されました。
This plan was (①) with (②) from our business partner.

(2) 残念ながら、このプロジェクトに設定された目的は議論の余地があります。
To our (③), the goal set for this project is (④).

(3) 在庫* に関して、私どもは緊急事項をそのように捉えてはおりません。
As for the (⑤), that is not quite how we see the (⑥) matters.

(4) 弊社は、国際購買* のどの案にも反対せざるを得ないでしょう。
We would have to (⑦) to any plan for international (⑧).

(5) 人材不足のため、わが社はプロジェクトの時間軸に合わせることができません。
We can't (⑨) the project timeline due to the shortage of (⑩).

a. personnel	b. opposition	c. debatable	d. meet	e. object
f. imminent	g. met	h. inventory	i. regret	j. purchasing

Notes

・在庫 (stock, inventory)
製品・半製品・原材料など、企業や団体組織が所有する販売前の流動資産のこと。

・国際購買 (international purchasing)
生産活動で必要とする原材料および部品について、世界市場から最適な機能・品質・価格および納期で調達すること。

2. Exercise

26-27

2-1 上記の５つの英文が順番に聞こえてきます。各英文を聞いた後、すぐにリテンションしなさい。

2-2 上記の５つの日本文が順番に聞こえてきます。各日本文を聞いた後、すぐに英文にしなさい。

3. 日本語を参考にして、与えられた英単語を並び替えて、英文を完成させなさい。

(1) その社外取締役*が、企業統治*に難色を示しました。
[the corporate / disapproved / the outside director / of / governance]

____.

(2) 弊社は、改善対策の論理的根拠について納得しておりません。
[convinced / your corrective measures / behind / the rationale / about]

We are not ______________________________________.

(3) 残念ながら、御社のご提案を今回は却下しなければならないことをお伝えいたします。
[your proposal / inform you / regret to / we must / that / decline]

We ____
at this time.

(4) その企業は、技術開発に対する提案に異論を唱えました。
[objections / technological development / for / the proposal / raised / against]

The company ______________________________________.

(5) 当社は、その会社と代理店*契約を結ぶことに反対します。
[with / concluding / against / agent / the / contract]

We are ______________________________________ the firm.

Notes

- 社外取締役 (outside director)
  社外から招いた取締役のこと。外部の視点により企業経営のチェック機能を果たす役割を持つ。
- 企業統治 (corporate governance)
  企業経営を管理監督する仕組みのこと。「コーポレートガバナンス」ともいう。
- 代理店 (agent)
  製造会社などの代理として商品の販売や原料の買付けなどの業務を行うもののこと。

4. Exercise

28-29

4-1 上記の５つの英文が順番に聞こえてきます。各英文を聞いた後、すぐにリテンションしなさい。

4-2 上記の５つの日本文が順番に聞こえてきます。各日本文を聞いた後、すぐに英文にしなさい。

Unit 8

一部賛成する・一部反対する

ビジネス会議が開かれています。使用言語は英語です。「審議事項」が提示され、ディスカッションが始まりました。このユニットは「一部賛成する・一部反対する」です。

1. 日本語を参考にして、下記の単語リストよりもっとも適切な単語を選び、その記号を（ ）に記入しなさい。

(1) 本日の協議では、われわれが賛成できる点がいくつか挙げられました。
There were numerous points (①) in today's discussion (②) which we agree.

(2) 弊社は、タイの市場への取り組み方について、御社と同じ立場を共有しております。
Our corporation (③) common ground with you (④) how to approach the Thai market.

(3) 私どもはご提案に基本的に賛成ですが、詳細な点では賛成しかねます。
We like the proposal in (⑤), but we can't agree with the (⑥).

(4) われわれは物流* の改善策には大筋で賛成しますが、その詳細については賛成しかねます。
We (⑦) approve the (⑧) for physical distribution, but not the details.

(5) SCM* について、部分的には御社の計画に賛成いたしますが、全体としては賛成いたしかねます。
With (⑨) to SCM, we partially agree with your scheme, but not on the (⑩).

a. shares	b. broadly	c. whole	d. regard	e. in
f. principle	g. raised	h. remedy	i. with	j. specifics

Notes

・物流 (physical distribution, distribution)
生産された商品が消費者の元へ届くまでの一連の活動のこと。

・SCM (supply chain management)
原材料調達から商品が消費者に届くまでのプロセスの統括のこと。メーカーや小売業者など関連する企業全体での最適化を指す。「サプライチェーンマネジメント（供給連鎖管理）」ともいう。

2. Exercise

30-31

2-1 上記の５つの英文が順番に聞こえてきます。各英文を聞いた後、すぐにリテンションしなさい。

2-2 上記の５つの日本文が順番に聞こえてきます。各日本文を聞いた後、すぐに英文にしなさい。

3. 日本語を参考にして、与えられた英単語を並び替えて、英文を完成させなさい。

(1) ロジスティクス* の計画について、貴社のご主旨は理解できますが、そのままでは賛成いたしかねます。

[is / can't / as / agree / it / we]

Concerning the logistics plan, we see your point, but ________________.

(2) ある程度まででですが、御社の購買* 計画については、御社に賛成いたします。

[with / on / you / certain / a / agree / extent]

To ________________, we ________________ the purchasing plan.

(3) 倉庫を建てるべきという考えには、われわれはある程度賛成いたします。

[that / with / some / the idea / degree]

We agree to ________________ we should build a warehouse.

(4) 是正対策は合理的であると思われますが、改善の余地は多くあります。

[room / rational / improvement / for / corrective measure / seems]

The ________________, but there is much ________________.

(5) 残念ですが、調達* におけるプロセスの最適化について、御社と異なる見方をしております。

[procurement / from / process optimization / in / differently]

To our regret, we see ________________ you.

Notes

- ロジスティクス (logistics)
  企業が物流の一連の流れを最適化して一元管理することで、商品を効率よく消費者に届けること。
- 購買 (purchasing)
  生産に必要な原材料や部品などの資材を買い入れること。
- 調達 (procurement)
  自社の企業活動に必要なモノやサービスを確保する一連のプロセスのこと。

4. Exercise

32-33

4-1 上記の５つの英文が順番に聞こえてきます。各英文を聞いた後、すぐにリテンションしなさい。

4-2 上記の５つの日本文が順番に聞こえてきます。各日本文を聞いた後、すぐに英文にしなさい。

Unit 9

確認する

ビジネス会議が開かれています。使用言語は英語です。「審議事項」が提示され、ディスカッションが始まりました。このユニットは「確認する」です。

1. 日本語を参考にして、下記の単語リストよりもっとも適切な単語を選び、その記号を（　）に記入しなさい。

(1) それはどのような意味か、わかりやすくお教えくださいますか。
Could you (① 　　) what you meant (② 　　) that?

(2) 御社の工場の生産能力* を上げるとおっしゃっているのでしょうか。
Are you (③ 　　) that you will increase the production (④ 　　) of your plant?

(3) 歩留まり* について何らかの懸念をお持ちだということでよろしいでしょうか。
Is it correct that you have some (⑤ 　　) about (⑥ 　　) ?

(4) 御社は生産量を 20%高める計画とのことですが、確認させてください。
We want to (⑦ 　　) that you are planning to (⑧ 　　) production volume by 20%.

(5) 確認のため、当社は安全性確認テストの要件を箇条書きにしたいと思っています。
For (⑨ 　　), we would like to (⑩ 　　) requirements for the safety test.

a. saying	b. raise	c. confirm	d. by	e. concerns
f. clarification	g. clarify	h. yield	i. capacity	j. itemize

Notes

・ 生産能力 (production capacity)。
工場などの製品を生産できる能力のこと。製品の個数・台数などで示されることが多い。
・ 歩留まり (yield)
生産において、原料や素材の投入量に対し、実際に得られた生産数量の割合を指す。

2. Exercise

34-35

2-1 上記の５つの英文が順番に聞こえてきます。各英文を聞いた後、すぐにリテンションしなさい。

2-2 上記の５つの日本文が順番に聞こえてきます。各日本文を聞いた後、すぐに英文にしなさい。

3. 日本語を参考にして、与えられた英単語を並び替えて、英文を完成させなさい。

(1) 御社の製品構成* につき、念のため再確認させていただく必要があります。
[need / to be / double-check / to / your product mix]
We will .... sure.

(2) 内製化* に関する添付書類を再検討していただけますか。
[review / documents / in-house / the attached / on]
Could you please .... production?

(3) 中国で当社に対して提起された製造物責任* の訴訟についての詳細を確認しなければなりません。
[product liability / regarding / lawsuits / details / filed against]
We must verify ....
us in China.

(4) 先方がわが社の要求をどの程度受け入れられるか、確認しなければなりません。
[to / they / accommodate / what extent / can]
We must ascertain .... our needs.

(5) 契約を締結する前に、この製品の成功を確認しておきたいと望んでおります。
[signing / this project / of / before / the success / ensure]
We hope to .... the contract.

Notes

・製品構成 (product mix)
企業が生産し販売する各種製品の組み合わせのこと。「プロダクト・ミックス」ともいう。
・内製化 (in-house production)
自社で生産すること。製造業が内製化すると、自社にノウハウ・知識が残り、技術力の流出を防げる利点がある。ただし、外注と比べて製造費や人件費が増大し、継続的な固定費が発生する欠点もある。
・製造物責任 (product liability: PL)
製造物の欠陥によって生命・身体または他の財産に損害を被った場合、製造業者が被害者に対して負う責任のこと。

4. Exercise

36-37

4-1 上記の５つの英文が順番に聞こえてきます。各英文を聞いた後、すぐにリテンションしなさい。

4-2 上記の５つの日本文が順番に聞こえてきます。各日本文を聞いた後、すぐに英文にしなさい。

Unit 10

確信する・懸念する

ビジネス会議が開かれています。使用言語は英語です。「審議事項」が提示され、ディスカッションが始まりました。このユニットは「確信する・懸念する」です。

1. 日本語を参考にして、下記の単語リストよりもっとも適切な単語を選び、その記号を（　）に記入しなさい。

(1) このプロジェクトはさまざまな課題に直面すると、弊社は確信しております。
We are (①　　) that this project will (②　　) various challenges.

(2) 弊社は、開発中の製品の信頼性*に関して確信しております。
We are confident (③　　) the (④　　) of the product under development.

(3) 量産モデル*はすべての品質要求を満たすだろうと、弊社はほぼ確信しております。
We are almost certain that the production model will (⑤　　) all (⑥　　) requirements.

(4) 私どもの信念は、技術革新が成功の鍵だということです。
It is our belief that the technological (⑦　　) is the key to (⑧　　).

(5) この製品は、高品質・低価格を売りにすることに間違いありません。
There is no (⑨　　) that this product will (⑩　　) high quality and low cost.

a. comply with	b. feature	c. quality	d. reliability	e. innovation
f. of	g. face	h. doubt	i. convinced	j. success

Notes

・信頼性 (reliability, dependability)
　一定の条件下で安定して期待される役割を果たすことのできる能力のこと。
・量産モデル (volume production/production model)
　量産された同一モデルであり、一般に販売されている製品のこと。

2. Exercise

38-39

2-1 上記の５つの英文が順番に聞こえてきます。各英文を聞いた後、すぐにリテンションしなさい。

2-2 上記の５つの日本文が順番に聞こえてきます。各日本文を聞いた後、すぐに英文にしなさい。

3. 日本語を参考にして、与えられた英単語を並び替えて、英文を完成させなさい。

(1) 弊社は、そのソフトウェアの現在のシステムとの互換性* について心配しております。

[the current system / with / about / compatibility / the software's / concerns]

We have ______________________________.

(2) わが社は、リコール* キャンペーンの実現可能性について懸念しています。

[about / concerned / running / of / the feasibility / a recall campaign]

We are ______________________________.

(3) 現在の不安定な経済状況について、懸念が高まっています。

[unstable / concern / economy / over / growing / the present]

There is ______________________________.

(4) 私どもの懸念は、技術的な要求に応えられない可能性があることです。

[be / may not / to satisfy / we / the technical requirements / able]

Our concern is that ______________________________.

(5) われわれは、試作品* における潜在的な問題について危惧しています。

[potential / the prototype / about / problems / apprehensive / in]

We are ______________________________.

Notes

- 互換性 (compatibility)
  部品・コンポーネントやソフトウェアなどを置き換えても同様に動作させることができる性質のこと。
- リコール (recall)
  製品に欠陥が見つかったとき、生産者が無償修理・交換・返金・回収などの措置を行うこと。
- 試作品 (prototype)
  量産前での問題点の洗い出しのために設計・製造された作品のこと。「プロトタイプ」ともいう。

4. Exercise

40-41

4-1 上記の５つの英文が順番に聞こえてきます。各英文を聞いた後、すぐにリテンションしなさい。

4-2 上記の５つの日本文が順番に聞こえてきます。各日本文を聞いた後、すぐに英文にしなさい。

Unit 11 譲歩する・妥協する

ビジネス会議が開かれています。使用言語は英語です。「審議事項」が提示され、ディスカッションが始まりました。このユニットは「譲歩する・妥協する」です。

1. 日本語を参考にして、下記の単語リストよりもっとも適切な単語を選び、その記号を（　）に記入しなさい。

(1) 残念ながら、今回は価格の譲歩はできません。
We are afraid that a price (①　　) will not be (②　　) at this time.

(2) 希望小売価格* については、交渉の余地があります。
There is room for (③　　) as to the suggested (④　　) price.

(3) 御社の価格がこのままであれば、交渉の余地はありません。
This is (⑤　　) if your price remains (⑥　　).

(4) 双方が卸売価格* について妥協できるまで議論を続けましょう。
Let's continue our discussion until we can (⑦　　) a compromise on (⑧　　) prices.

(5) 弊社は、コスト削減のご要望にはある程度譲歩するつもりにしております。
We are willing to (⑨　　) to your (⑩　　) for cost reduction.

a. unchanged	b. wholesale	c. request	d. non-negotiable	e. retail
f. concede	g. reach	h. possible	i. concession	j. negotiation

Notes

・希望小売価格 (suggested retail price)
商品を製造するメーカーや輸入する代理店など小売業者以外の者が、供給する商品について設定した販売参考小売価格のこと。「メーカー希望小売価格」ともいう。

・卸売価格 (wholesale price)
メーカーが卸売業者に販売する価格、あるいは卸売業者が小売店に販売する価格のこと。前者は「仕切り価格」ともいう。

2. Exercise

Disc 2 1-2

2-1 上記の５つの英文が順番に聞こえてきます。各英文を聞いた後、すぐにリテンションしなさい。

2-2 上記の５つの日本文が順番に聞こえてきます。各日本文を聞いた後、すぐに英文にしなさい。

3. 日本語を参考にして、与えられた英単語を並び替えて、英文を完成させなさい。

(1) 企業の社会的責任* の取り組みについて、われわれは合意に達することが不可欠です。

[a consensus / to reach / CSR initiatives / for us / on / indispensable]

It is ____.

(2) 弊社は、このような状況の中、これらの緊急課題について譲歩する用意があります。

[prepared / give / on / to / ground / these pressing issues]

We are ________________________________ in this situation.

(3) 弊社は、当事者間の異なる意見を調整することを提案いたします。

[between / the differing opinions / we / the concerned parties / reconcile]

We suggest that ________________________________.

(4) この専有技術* に関しては、お互いの譲歩が必要です。

[pertaining / this proprietary technology / concessions / to / mutual]

____ are necessary.

(5) 知的財産* の問題を解決するため、弊社は他の可能性を排除しているわけではありません。

[the intellectual property / other possibilities / ruling out / settle / to / matters]

We are not ____.

Notes

- 企業の社会的責任 (corporate social responsibility: CSR)
  企業が倫理的観点から事業活動を通じて自主的に社会に貢献する責任のこと。
- 専有技術 (proprietary technology)
  一般には公開されていない、企業あるいは個人が持つ独自あるいは専有の技術のこと。「独自技術」ともいう。
- 知的財産 (intellectual property)
  著作物や発明、商標などといった無体物のこと。その創出者に対して与えられる独占権を「知的財産権」(intellectual property rights) と呼ぶ。

4. Exercise

3-4

4-1 上記の５つの英文が順番に聞こえてきます。各英文を聞いた後、すぐにリテンションしなさい。

4-2 上記の５つの日本文が順番に聞こえてきます。各日本文を聞いた後、すぐに英文にしなさい。

Unit 12

条件を提示する

ビジネス会議が開かれています。使用言語は英語です。「審議事項」が提示され､ディスカッションが始まりました。このユニットは「条件を提示する」です。

1. 日本語を参考にして、下記の単語リストよりもっとも適切な単語を選び、その記号を（　）に記入しなさい。

(1) 大量に購入していただくことを条件に、私どもは値引きいたします。
We can (①) the price on the (②) that you buy a large quantity.

(2) 一つ条件はありますが、御社から集積回路 * を購入することはできます。
We can (③) (④) circuits from you on one condition.

(3) 条件が整い次第、当社は社債 * を発行いたします。
As soon as conditions (⑤), our company will (⑥) the bond.

(4) この事業が成長するという前提の根拠は何でしょうか。
What is the (⑦) (⑧) your assumption that this business will grow?

(5) 本プロジェクトの見通しが良ければ、提携の可能性があります。
A (⑨) could be possible (⑩) that the prospect for this project is good.

a. purchase	b. rationale	c. issue	d. partnership	e. discount
f. integrated	g. provided	h. permit	i. condition	j. behind

Notes

- 集積回路 (integrated circuit)
半導体の表面に微細かつ複雑な電子回路を形成した上で封入した電子部品のこと。
- 社債 (bond)
企業が資金調達を目的として、投資家からの金銭払込みと引き替えに発行する債券のこと。

2. Exercise

5-6

2-1 上記の５つの英文が順番に聞こえてきます。各英文を聞いた後、すぐにリテンションしなさい。

2-2 上記の５つの日本文が順番に聞こえてきます。各日本文を聞いた後、すぐに英文にしなさい。

3. 日本語を参考にして、与えられた英単語を並び替えて、英文を完成させなさい。

(1) 契約書には、この資本提携* に関する条項が明確に規定されています。
[provisions / capital / this / stipulates / for / alliance]
The contract clearly ....

(2) 損益分岐点* に到達することを前提に、わが社はプロジェクトを実施いたします。
[on / can be / the breakeven point / the assumption / attained / that]
We will implement the project ....

(3) 企業が未来に向けて成長するためには、サステナブル経営* が前提条件です。
[into / to grow / a prerequisite / the future / companies / for]
Sustainable management is ....

(4) 私どもの要件を満たすことが、この共同プロジェクトの前提条件です。
[our requirements / is / meeting / for / a precondition]
.... this joint project.

(5) 日本に製品を輸出するには、御社は法的要件を満たさなければなりません。
[to / with / export / legal requirements / comply / in order]
You have to ....
the product to Japan.

Notes

・資本提携 (capital alliance/tie-up)
事業や業務の効率化を目的として、複数の企業が資本参加を伴う形で協力関係を築くこと。
・損益分岐点 (breakeven point)
売上高と費用が等しくなり、損益がゼロとなるときの売上高のこと。
・サステナブル経営 (sustainable management)
環境・社会・経済の持続可能性への配慮により、事業の持続可能性 (sustainability) 向上を図る経営のこと。

4. Exercise

7-8

4-1 上記の５つの英文が順番に聞こえてきます。各英文を聞いた後、すぐにリテンションしなさい。

4-2 上記の５つの日本文が順番に聞こえてきます。各日本文を聞いた後、すぐに英文にしなさい。

Unit 13

変更する・改善する

ビジネス会議が開かれています。使用言語は英語です。「審議事項」が提示され、ディスカッションが始まりました。このユニットは「変更する・改善する」です。

1. 日本語を参考にして、下記の単語リストよりもっとも適切な単語を選び、その記号を（　）に記入しなさい。

(1) 景気後退* に伴い、当社はマーケティング計画を見直しました。
We have (①　　) our marketing plans as a result of the economic (②　　).

(2) 競合商品と優位に競えるよう、わが社はモデルを改良するつもりです。
We are planning to (③　　) the model to favorably (④　　) with its competition.

(3) 設計変更により、時間やコストの削減が可能となります。
(⑤　　) of time and costs could be possible through design (⑥　　).

(4) 脱炭素化社会* の実現のため、電気自動車に移行する傾向があります。
There is a trend to (⑦　　) to EVs in order to realize a (⑧　　) society.

(5) 海外生産への移行に伴い、弊社は供給業者を国内からアジアに変更いたします。
We will change (⑨　　) from Japan to Asia due to the (⑩　　) to overseas production.

a. slowdown	b. upgrade	c. modifications	d. revised	e. shift
f. reduction	g. compete	h. decarbonized	i. suppliers	j. switch

Notes

・景気後退 (economic slowdown/downturn, recession)
経済活動全般の動向を指し、景気が下降している状態のこと。

・脱炭素化社会 (decarbonized society)
地球温暖化の原因となる温室効果ガスの排出量ゼロを目指す社会のこと。

2. Exercise

9-10

2-1 上記の５つの英文が順番に聞こえてきます。各英文を聞いた後、すぐにリテンションしなさい。

2-2 上記の５つの日本文が順番に聞こえてきます。各日本文を聞いた後、すぐに英文にしなさい。

3. 日本語を参考にして、与えられた英単語を並び替えて、英文を完成させなさい。

(1) 業績回復のお陰で、当社は当期利益* の目標を達成しました。
[net income / for / the recovery / business performance / in / our target]
Thanks to ______________________________, we achieved __________
____________________.

(2) 弊社のキャッシュフロー* の見通しには変更はありませんので、ご承知おきください。
[the outlook of / will be / informed / there / in / no change]
Please be ____ our cash flow.

(3) その企業は、取締役への退職一時金を廃止するため定款* を変更しました。
[to directors / lump-sum / amended / retirement pay / to scrap / its corporate charter]
The company ____.

(4) 不具合に対して、速やかに是正措置を講じるよう、貴社にご依頼いたします。
[against / corrective action / kindly / are / requested / to promptly take]
You ____ the defects.

(5) 景気が改善された今、弊社は海外での事業を拡大することにいたしました。
[to grow / set / our operations / have improved / business conditions / we are]
Now that ______________________, ______________________________
abroad.

Notes

- 当期利益 (net income)
  企業が決算期間に稼いだ最終的な利益のこと。「最終利益」ともいう。
- キャッシュフロー (cash flow)
  企業活動や財務活動により得られた収入から外部への支出を差し引いて手元に残る資金の流れのこと。
- 定款 (corporate charter)
  企業が組織として成立するための大切な規約をまとめたもの。

4. Exercise

11-12

4-1 上記の５つの英文が順番に聞こえてきます。各英文を聞いた後、すぐにリテンションしなさい。

4-2 上記の５つの日本文が順番に聞こえてきます。各日本文を聞いた後、すぐに英文にしなさい。

Unit 14

検討する

ビジネス会議が開かれています。使用言語は英語です。「審議事項」が提示され、ディスカッションが始まりました。このユニットは「検討する」です。

1. 日本語を参考にして、下記の単語リストよりもっとも適切な単語を選び、その記号を（　）に記入しなさい。

(1) 長期的な経営基盤の確立のために、わが社はESG* を考慮すべきです。
We should take ESG into (①) to (②) our long-term operating foundation.

(2) 各提案は、わが社の経営資源* に照らして再検討する必要があります。
Each (③) must be reexamined in (④) of our corporate resources.

(3) 私どもは本提案を持ち帰り、社内で検討したいと思います。
We would like to (⑤) this proposal back with us and consider it (⑥).

(4) 本件の根本的な原因究明は、貴社に期待しているところです。
We are relying on your (⑦) to investigate the (⑧) cause of this matter.

(5) 御社のチームは、機器に不具合がないか検査する役割を担うことになります。
Your team will be (⑨) to (⑩) the equipment for faults.

a. take	b. assigned	c. ensure	d. internally	e. firm
f. inspect	g. root	h. proposal	i. light	j. account

Notes

- ESG (environment social governance)
持続可能な世界の実現のため、企業の長期的成長に重要な環境 (environment)・社会 (social)・ガバナンス (governance) の３つの観点を指す。
- 経営資源 (corporate/management resources)
企業経営の基盤となる無形資産のこと。ヒト・モノ・カネ・情報が４大経営資源と呼ばれる。

2. Exercise

13-14

2-1 上記の５つの英文が順番に聞こえてきます。各英文を聞いた後、すぐにリテンションしなさい。

2-2 上記の５つの日本文が順番に聞こえてきます。各日本文を聞いた後、すぐに英文にしなさい。

3. 日本語を参考にして、与えられた英単語を並び替えて、英文を完成させなさい。

(1) 弊社はコストとリスクにかかわる調査を行い、ご返答いたします。
[involved / get back / look into / to you / the cost and risk / and]
We will ______________________________.

(2) 余剰在庫の説明責任* について、当社は次回の役員会で検討します。
[inventory / at / accountability / excess / for / consider]
We will ______________________________ the next executive meeting.

(3) この提案を棚上げにしないためにも、固定費* の再検討をお願いいたします。
[this proposal / ask / fixed costs / reconsider / shelving / to / you]
To avoid ____________________, we would like to ____________________.

(4) われわれは、製品開発に関わる変動費* について調査を行う予定です。
[conduct / variable costs / a study / to / related / on]
We are planning to ______________________________ product development.

(5) 費用のかかる事態を避けるために、弊社はこの議題をさらに検討いたします。
[any costly / to / consequences / further thought / avoid / the subject]
We will give ______________________________.

Notes

- 説明責任 (accountability)
  企業が自らの諸活動について利害関係者／ステークホルダー (stakeholder) に説明する義務のこと。
- 固定費 (fixed cost)
  生産量や販売量の増減に関わらず一定にかかる経費のこと。
- 変動費 (variable cost)
  売上（生産量・販売量）に比例して増減する経費のこと。

4. Exercise

15-16

4-1 上記の５つの英文が順番に聞こえてきます。各英文を聞いた後、すぐにリテンションしなさい。

4-2 上記の５つの日本文が順番に聞こえてきます。各日本文を聞いた後、すぐに英文にしなさい。

Unit 15

利点を指摘する・欠点を指摘する

ビジネス会議が開かれています。使用言語は英語です。「審議事項」が提示され、ディスカッションが始まりました。このユニットは「利点を指摘する・欠点を指摘する」です。

1. 日本語を参考にして、下記の単語リストよりもっとも適切な単語を選び、その記号を（　）に記入しなさい。

(1) このモデルは、他のモデルと比較して、軽量で耐久性に優れているという利点があります。
This model has the (①　　) of being light and durable (②　　) to others.

(2) この買収* は、経済規模を拡大できるメリットがあります。
This (③　　) has the merit of being able to (④　　) the scale of economy.

(3) 技術的な強みにより、当社は中国で足元を固めることができます。
Technological (⑤　　) will allow us to gain a (⑥　　) in China.

(4) 生産能力を強化するために手を組むことには、いくつかの利点があります。
There are several benefits of (⑦　　) forces to (⑧　　) production capacity.

(5) ローカライゼーション* の円滑化は、このプロジェクトにとってプラスです。
The (⑨　　) of localization is a (⑩　　) for this project.

a. compared	b. facilitation	c. advantages	d. joining	e. plus
f. strength	g. expand	h. buyout	i. footing	j. reinforce

Notes

・買収 (buyout, acquisition, takeover)
他社の事業または会社の経営権を取得すること。

・ローカライゼーション (localization)
地域や国の習慣や文化を踏まえ、製品やサービスを最適化すること。日本語で「地域化」のこと。

2. Exercise

17-18

2-1 上記の５つの英文が順番に聞こえてきます。各英文を聞いた後、すぐにリテンションしなさい。

2-2 上記の５つの日本文が順番に聞こえてきます。各日本文を聞いた後、すぐに英文にしなさい。

3. 日本語を参考にして、与えられた英単語を並び替えて、英文を完成させなさい。

(1) 契約のこれらの変更は、御社に不利になることはありません。
[be / your company / disadvantageous / will not / the contract / to]
These changes to ________________.

(2) 半導体* の調達が遅れると、わが社に不利になる可能性があります。
[semiconductors / us / the procurement / could put / in / of]
A delay ________________
at a disadvantage.

(3) このプロジェクトの大きな欠点は、人件費* が高いことです。
[labor / high / is / this project / to / costs]
The major drawback ________________.

(4) このモデルについては、他と比較して劣っている特徴* を改善すべきです。
[features / inferior / are / that / to / made]
As for this model, improvements should be ________________
to others.

(5) 弊社は現行モデルに付随する欠点を解消するつもりです。
[associated / model / eliminate / with / any shortcomings / the present]
We will ________________.

Notes

・半導体 (semiconductor)
電気を良く通す「導体」と電気をほとんど通さない「絶縁体」との、中間の性質を持つシリコンなどの物質や材料のこと。
・人件費 (labor cost, personnel expense/expenditure)
企業の経費の中で、労働に対して支払われる給与や各種手当てなどのこと。
・特徴 (feature, characteristic)
「特徴」は、他と比べて特に目立つ点やきわだっていること。一方、「特長」(advantage, merit) は、他よりも特にすぐれている点や長所のこと。

4. Exercise

19-20

4-1 上記の５つの英文が順番に聞こえてきます。各英文を聞いた後、すぐにリテンションしなさい。

4-2 上記の５つの日本文が順番に聞こえてきます。各日本文を聞いた後、すぐに英文にしなさい。

Unit 16

理解する・誤解する

ビジネス会議が開かれています。使用言語は英語です。「審議事項」が提示され、ディスカッションが始まりました。このユニットは「理解する・誤解する」です。

1. 日本語を参考にして、下記の単語リストよりもっとも適切な単語を選び、その記号を（　）に記入しなさい。

(1) 研究開発* 費の意義について理解することが必要です。
It is necessary to understand the (①　　) of research and development (②　　).

(2) われわれは、規制緩和に関する課題についてよく把握しておくべきです。
We should have a good (③　　) of issues pertaining to (④　　).

(3) わが社は、提案されたビジネスモデルについて理解する必要があります。
There is a need for us to (⑤　　) the (⑥　　) business model.

(4) ステークホルダー* は、企業の財務状況を熟知しておくべきです。
Stakeholders should be (⑦　　) on the financial (⑧　　) of the company.

(5) 弊社のビジネス戦略をより深く理解していただく必要があります。
You need to (⑨　　) a better understanding of our business (⑩　　).

a. gain	b. spending	c. proposed	d. well-informed	e. significance
f. comprehend	g. strategy	h. standing	i. grasp	j. deregulation

Notes

・研究開発 (research and development: R&D)
事業領域に関する基礎学問の研究や応用研究の模索を指す。企業の競争力を高めるために必要な技術調査や技術開発といった活動のこと。

・ステークホルダー (stakeholder)
株主・経営者・従業員・顧客・取引先のほか、金融機関・行政機関・各種団体など、企業のあらゆる「利害関係者」のこと。

2. Exercise

21-22

2-1 上記の５つの英文が順番に聞こえてきます。各英文を聞いた後、すぐにリテンションしなさい。

2-2 上記の５つの日本文が順番に聞こえてきます。各日本文を聞いた後、すぐに英文にしなさい。

3. 日本語を参考にして、与えられた英単語を並び替えて、英文を完成させなさい。

(1) 貸借対照表* について、多少の誤解があるようです。
[regarding / sheet / some misunderstanding / be / to / the balance]
There seems ____.

(2) 私どもが特許戦略* について説明した内容を、御社は誤解されたようです。
[the patent strategy / what / misinterpreted / explained / we / about]
It looks like you ____.

(3) われわれは、このプロジェクトで混乱や誤解が生じないように努めるべきです。
[prevent / to / confusion or / strive / on / miscommunication]
We should ____
this project.

(4) 弊社が、御社のご提案に興味を持っていないとお考えなのは間違っております。
[in thinking / our company / that / has / mistaken / no interest]
You are ____
in your proposal.

(5) このマーケティング戦略* に関して、誤解がないようにいたしましょう。
[let / in regard to / there / no / be / misunderstanding]
Please ____
this marketing strategy.

Notes

- 貸借対照表 (balance sheet: BS)
  財政状態を表す書類のこと。左側に「資産の部」、右側に「負債の部」「純資産の部」が表示され、「バランスシート」とも呼ばれる。
- 特許戦略 (patent strategy)
  自社で開発した発明、あるいは開発する予定の発明をどのように活用して会社を成長させるかに関する戦略のこと。
- マーケティング戦略 (marketing strategy)
  顧客のニーズを的確に満たし、競合と差別化された商品・サービスを提供するための戦略のこと。

4. Exercise

23-24

4-1 上記の５つの英文が順番に聞こえてきます。各英文を聞いた後、すぐにリテンションしなさい。

4-2 上記の５つの日本文が順番に聞こえてきます。各日本文を聞いた後、すぐに英文にしなさい。

Unit 17

期限について話す

ビジネス会議が開かれています。使用言語は英語です。「審議事項」が提示され、ディスカッションが始まりました。このユニットは「期限について話す」です。

1. 日本語を参考にして、下記の単語リストよりもっとも適切な単語を選び、その記号を（　）に記入しなさい。

(1) わが社は見本市* の時間と会場の手配をしました。
We have (①　　) the time and (②　　) for the trade show.

(2) 私どもの提案に対する回答の期限を設定させていただきます。
We would like to set a (③　　) for your (④　　) to our proposal.

(3) このプロジェクトの時間軸は、当社のビジネスプランに基づいて設定されます。
The (⑤　　) will be set for this project (⑥　　) on our business plan.

(4) 株主総会* のスケジュールを決めたいと思います。
We would like to (⑦　　) on a schedule for the (⑧　　)' meeting.

(5) われわれは、未解決の難題を解決するための会議の日程を決める必要があります。
We need to schedule a meeting to (⑨　　) the (⑩　　) difficulties.

a. timeline	b. response	c. decide	d. venue	e. resolve
f. shareholders	g. based	h. outstanding	i. deadline	j. arranged

Notes

・見本市 (trade show)
企業が自らの新しい商品を展示、あるいはデモンストレーションして紹介する定期的な展示会のこと。
・株主総会 (shareholders' / stockholders' meeting, general meeting of shareholders / stockholders)
会社法で定められた株式会社の最高決定機関のこと。株主を構成員とし、会社の基本方針や重要事項を決定する。

2. Exercise

25-26

2-1 上記の５つの英文が順番に聞こえてきます。各英文を聞いた後、すぐにリテンションしなさい。

2-2 上記の５つの日本文が順番に聞こえてきます。各日本文を聞いた後、すぐに英文にしなさい。

3. 日本語を参考にして、与えられた英単語を並び替えて、英文を完成させなさい。

(1) 当社のフラッグシップモデル* の組み立てを前倒しする必要があります。
[move up / to / a need / the assembly / our flagship model / of]
There is ______________________________.

(2) 誠に勝手ながら、会議の開催延期をお知らせいたします。
[sorry / of / to notify / are / the postponement / you]
We ______________________________ of the conference.

(3) 誠に勝手ながら、入札* の期限を過ぎましたのでご了承ください。
[a bid / you / for / that / the due date / has passed]
We regret to inform ______________________________.

(4) 6 月 30 日に手形* の支払期限が来ることをお知らせいたします。
[will fall / you / that / due / remind / the bill]
We would like to ______________________________ on June 30.

(5) 現状では、弊社はプロジェクトの開始時期を調整する必要があります。
[necessitates / for / launching / adjusting / the project / the timing]
The current situation ______________________________.

Notes

- フラッグシップモデル (flagship model)
  メーカーが提供する製品の中で、最上級に位置する品のこと。
- 入札 (bid, tender)
  官公庁や地方自治体が民間の会社と契約を締結する際に、契約する民間業者を選ぶ契約方式のこと。
- 手形 (bill)
  記載した金額を支払期日に支払うことを約束するために作成される書類のこと。

4. Exercise

27-28

4-1 上記の５つの英文が順番に聞こえてきます。各英文を聞いた後、すぐにリテンションしなさい。

4-2 上記の５つの日本文が順番に聞こえてきます。各日本文を聞いた後、すぐに英文にしなさい。

Unit 18

要求する・拒否する

ビジネス会議が開かれています。使用言語は英語です。「審議事項」が提示され、ディスカッションが始まりました。このユニットは「要求する・拒否する」です。

1. 日本語を参考にして、下記の単語リストよりもっとも適切な単語を選び、その記号を（　）に記入しなさい。

(1) 食品ロス*の解消を求める声が高まっています。
A (①　　) number of people are calling for an (②　　) of food loss.

(2) お客様から、故障をすぐに直してほしいという要望がありました。
The customer demanded that the (③　　) be fixed (④　　).

(3) 対象国の人口動態*の変化について、さらなる調査が必要です。
There is a need for (⑤　　) research on demographic changes in (⑥　　) countries.

(4) 貴社には、モデルの剛性を証明するテスト結果の提出が求められております。
You are required to (⑦　　) test results which prove the (⑧　　) of the model.

(5) 販売促進を実施しなければならない状況です。
The situation (⑨　　) that a sales promotion be (⑩　　) out.

a. malfunction	b. immediately	c. growing	d. requires	e. further
f. elimination	g. target	h. submit	i. rigidity	j. carried

Notes

・食品ロス (food loss)
売れ残りや食べ残し、期限切れ食品など、まだ食べられるのに捨てられてしまう食べ物のこと。

・人口動態 (demographic change, population movement)
一定期間中における人口の変動のこと。出生・死亡・結婚・移動などがその要因である。

2. Exercise

29-30

2-1 上記の５つの英文が順番に聞こえてきます。各英文を聞いた後、すぐにリテンションしなさい。

2-2 上記の５つの日本文が順番に聞こえてきます。各日本文を聞いた後、すぐに英文にしなさい。

3. 日本語を参考にして、与えられた英単語を並び替えて、英文を完成させなさい。

(1) 弊社の経営陣は、この多角化* 計画に反対でした。
[diversification / disapproved / this / plan / of]
Top management of our company ……………………………………………….

(2) 労働組合* の賃上げ要求は会社に拒否されました。
[demands / higher pay / rejected / the labor union's / for / were]
……………………………………………………………………
by the company.

(3) この状況からすると、御社の要求を断る必要があります。
[to / of / need / the look / deny / things]
From ……………………, we …………………… your request.

(4) わが社は、実行可能性調査* に関する御社の依頼を今回はお断りしなければなりません。
[a / for / decline / feasibility / your request / study]
We must …………………………………………… at this time.

(5) 貴社がこのプロジェクトに参加することを拒否されたのは残念です。
[that / to participate / an invitation / regrettable / refused / you]
It is ……………………………………………………………
in this project.

Notes

・多角化 (diversification)
企業が成長する方法として新たな分野に進出すること。新たな製品を開発したり新たな市場を開拓したりすることを指す。
・労働組合 (labor/trade union, union)
労働者が主体となって自主的に労働条件の維持・改善や経済的地位の向上を目的として組織する団体のこと。
・実行可能性調査 (feasibility study: FS)
事業・新商品・サービス等の実現可能性を事前に調査・検討すること。「フィジビリティ・スタディ」とも呼ばれる。

4. Exercise

31-32

4-1 上記の５つの英文が順番に聞こえてきます。各英文を聞いた後、すぐにリテンションしなさい。

4-2 上記の５つの日本文が順番に聞こえてきます。各日本文を聞いた後、すぐに英文にしなさい。

Unit 19 審議をまとめる

ビジネス会議が開かれています。使用言語は英語です。「審議事項」が提示され、ディスカッションが始まりました。このユニットは「審議をまとめる」です。

1. 日本語を参考にして、下記の単語リストよりもっとも適切な単語を選び、その記号を（　）に記入しなさい。

(1) われわれの会議で決まったことをまとめましょう。
Let's (①　　) (②　　) which were made in our meeting.

(2) 今日の会議で決まったこと、そして棚上げになったことを再確認したいと思います。
Why don't we (③　　) what was decided and what was (④　　) in today's meeting?

(3) 標準化* についてのわれわれの審議をまとめたいと思います。
We would like to (⑤　　) up our discussion on (⑥　　).

(4) わが社は地球温暖化* 対策を強化すべきとの結論に達しました。
We concluded that stronger (⑦　　) should be (⑧　　) against global warming.

(5) 結論から言うと、弊社は取引を成立させるためには法的代理権が必要だと考えております。
In (⑨　　), we see legal (⑩　　) as a necessity to finalize the deal.

a. review	b. standardization	c. conclusion	d. shelved	e. wrap
f. decisions	g. taken	h. summarize	i. representation	j. steps

Notes

・標準化 (standardization)
標準を決めて資材・製品などの規格や種類を統一すること。

・地球温暖化 (global warming)
大気中に含まれる二酸化炭素（CO_2）等「温室効果ガス」(greenhouse gas) が大気中に放出され、地球全体の平均気温が上昇する現象のこと。

2. Exercise

33-34

2-1 上記の５つの英文が順番に聞こえてきます。各英文を聞いた後、すぐにリテンションしなさい。

2-2 上記の５つの日本文が順番に聞こえてきます。各日本文を聞いた後、すぐに英文にしなさい。

3. 日本語を参考にして、与えられた英単語を並び替えて、英文を完成させなさい。

(1) 議論を通じて、このプロジェクトは大きな可能性があると私どもは確信いたしました。

[potential / great / has / convinced / this project / that]

Through the discussion, we have been ______________________________.

(2) 当社の結論は、持続可能な航空燃料* の有効性を確認するには、もっと時間が必要だということです。

[SAF / to ensure / of / the validity / more time / need]

Our conclusion is that we ______________________________.

(3) 交渉の結果、砂漠化* 対策を採用することが決定されました。

[a decision / in / measures / has resulted / adopt / to]

The negotiation ______________________________ against desertification.

(4) 業務量の平準化* について妥協点に達しました。

[a compromise / arrived / leveling / at / on / off]

We have ______________________________ the workload.

(5) 両社は天然資源を確保するための対策で合意しました。

[to secure / to / measures / have come / on / terms]

Both companies ______________________________ natural resources.

Notes

・持続可能な航空燃料 (sustainable aviation fuel: SAF)
使用済みの調理油などの再生可能なエネルギー源から生産されるジェット燃料のこと。

・砂漠化 (desertification)
もともと植生に覆われた土地が不毛地になっていく現象のこと。

・平準化 (leveling, leveling off, evening out, equalization)
一定期間における従業員・組織の作業量を均等にすること。「平準化する」は、英語で level, level off, even out などがある。

4. Exercise

35-36

4-1 上記の５つの英文が順番に聞こえてきます。各英文を聞いた後、すぐにリテンションしなさい。

4-2 上記の５つの日本文が順番に聞こえてきます。各日本文を聞いた後、すぐに英文にしなさい。

Unit 20

感謝する・謝罪する

ビジネス会議が開かれています。使用言語は英語です。「審議事項」が提示され、ディスカッションが始まりました。このユニットは「感謝する・謝罪する」です。

1. 日本語を参考にして、下記の単語リストよりもっとも適切な単語を選び、その記号を（　）に記入しなさい。

(1) 災害後の再建にご尽力いただき、感謝いたしております。
We are (①　　) for your (②　　) to reconstruction after the disaster.

(2) パンデミック* に対して策を講じていただき、感謝いたしております。
We would like to extend our (③　　) for taking steps (④　　) the pandemic.

(3) 自然環境の保全に感謝の意を表したいと思います。
We wish to (⑤　　) our thanks for (⑥　　) the natural environment.

(4) このプロジェクト執行に対するご尽力に、御社に厚く感謝いたします。
Many thanks (⑦　　) to you for (⑧　　) to execute this project.

(5) 海洋汚染* 対策における御社の援助に対しまして、お礼申し上げます。
We would like to thank you for your (⑨　　) in (⑩　　) marine pollution.

a. commitment	b. go	c. grateful	d. express	e. appreciation
f. conserving	g. against	h. endeavoring	i. combating	j. assistance

Notes

・パンデミック (pandemic)
感染症が世界的に大流行すること。一方、「エピデミック (epidemic)」は、地域的に限定されている流行病のこと。

・海洋汚染 (marine pollution)
ごみの不法投棄や船舶の事故による油の流出、工業排水や生活排水などが原因となって海が汚染されること。特に問題となっているのが、海洋プラスチックごみである。

2. Exercise

37-38

2-1 上記の５つの英文が順番に聞こえてきます。各英文を聞いた後、すぐにリテンションしなさい。

2-2 上記の５つの日本文が順番に聞こえてきます。各日本文を聞いた後、すぐに英文にしなさい。

3. 日本語を参考にして、与えられた英単語を並び替えて、英文を完成させなさい。

(1) 財務諸表* を確認する時間が足りなくなり、申し訳ありません。
[verify / to / financial statements / of / ran out / time]
We are sorry that we ______________________________.

(2) 弊社からの補給部品 * の供給が遅れており、ご迷惑をおかけして申し訳ありません。
[caused / of / any inconvenience / supply delays / by]
We apologize for ______________________________
spare parts from us.

(3) 御社のご期待に添えず、申し訳ございません。
[for / of / our apologies / short / falling / offer]
We would like to ______________________________ your expectations.

(4) 仕様 * に関して譲歩することができず、申し訳ございません。
[you / to / for / compromise / being able to / our apologies / not]
We extend ______________________________
on specifications.

(5) そのモデルの発売を1ヶ月遅らせることとなり、申し訳ございません。
[of / delaying / to apologize / the model / for / the launch]
Please allow us ______________________________
by a month.

Notes

- 財務諸表 (financial statement: FS)
  企業が株主や取引先などの利害関係者に対して、一定期間の経営成績や財務状態を報告するための書類のこと。
- 補給部品 (spare/repair/service part)
  量産に使われるものではなく、保守・交換などを目的に流通するもの。「サービス部品」ともいう。
- 仕様 (specification)
  機械類や建築物などの構造や内容のこと。工業製品の性能を指して、「スペック」ともいう。

4. Exercise

39-40

4-1 上記の５つの英文が順番に聞こえてきます。各英文を聞いた後、すぐにリテンションしなさい。

4-2 上記の５つの日本文が順番に聞こえてきます。各日本文を聞いた後、すぐに英文にしなさい。

専門用語の索引

A Shorter Course in English for Business Meetings: Discussion
5分間 会議英語＜ディスカッション力の育成＞ [B-955]

1　刷　2023年1月15日

著　者　辻　和成　Kazushige Tsuji
三宅　弘晃　Hiroaki Miyake
G. クリント・デニソン　G. Clint Denison
辻　勢都　Setsu Tsuji

発行者　南雲一範　Kazunori Nagumo
発行所　株式会社　南雲堂
〒162-0801　東京都新宿区山吹町361
NAN'UN-DO Co., Ltd.
361 Yamabuki-cho, Shinjuku-ku, Tokyo 162-0801, Japan
振替口座：00160-0-46863
TEL: 03-3268-2311（営業部：学校関係）
03-3268-2384（営業部：書店関係）
03-3268-2387（編集部）
FAX: 03-3269-2486

編集者　加藤　敦
表　紙　Nスタジオ
組　版　Office haru
検　印　省　略
コード　ISBN978-4-523-17955-9　C0082

Printed in Japan

E-mail　nanundo@post.email.ne.jp
URL　https://www.nanun-do.co.jp/